献给我亲爱的家人，感谢你们让我看到了生活之美！

——雪莉·戴

儿童情绪管理与性格培养绘本
第八辑　逆商培养

戴眼镜的露娜

Luna and the Big Blur: A Story for Children
Who Wear Glasses (Revised Edition)

[美] 雪莉·戴（Shirley Day）　著
[美] 唐·莫里斯（Don Morris）　绘
赵丹　译
卓文如　译校

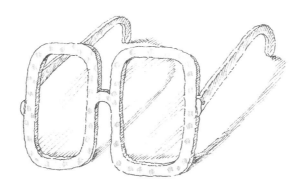

化学工业出版社
·北京·

图书在版编目（CIP）数据

戴眼镜的露娜 / [美] 戴（Day, S.）著；[美] 莫里斯（Morris, D.）绘；赵丹译. — 北京：化学工业出版社，2013.9（2019.4重印）
（儿童情绪管理与性格培养绘本）
书名原文：Luna and the Big Blur: A Story for Children Who Wear Glasses
ISBN 978-7-122-18191-6

Ⅰ. ①戴… Ⅱ. ①戴… ②莫… ③赵… Ⅲ. ①儿童文学—图画故事—美国—现代 Ⅳ. ①I712.85

中国版本图书馆CIP数据核字（2013）第186490号

责任编辑：郝付云 肖志明　　　　　　　　特约编辑：李　征
装帧设计：锋尚制版

出版发行：化学工业出版社（北京市东城区青年湖南街13号　邮政编码100011）
印　　装：北京瑞禾彩色印刷有限公司
889mm×1194mm 1/20　印张2　字数27千字　　2019年4月北京第1版第23次印刷

购书咨询：010-64518888　　　　　　　售后服务：010-64518899
网　　址：http://www.cip.com.cn
凡购买本书，如有缺损质量问题，本社销售中心负责调换。

定　　价：12.80元　　　　　　　　　　　　　　　　　　版权所有　违者必究

当我们的孩子慢慢长大，除了来自父母的浓浓爱意，他们也会渐渐品尝生活中各种情感的滋味，比如受挫感。当孩子进入幼儿园，随着生活圈子的扩大、社会交往的深入，他们将面临更多的挑战，从而产生更多的受挫、自卑、无力或迷茫等负面情绪。

成长的路上不会一帆风顺，但孩子们不应该孤独，作为父母我们可以和他们一起体会和分享各种情感，也可以和他们一起去面对成长中的小小忧伤。送给孩子一本好书，是为了帮助孩子们了解一些生活中很难讲清楚的东西，是为了帮助他们在成长过程中获得更多的正向能量。这套来自美国心理学会的儿童情绪管理与性格培养绘本的"逆商培养"专辑，共有四个不同的主人公：一个是一只生下来就不能展翅飞翔的小鸟，一个是一棵被风暴折断了树枝的小树，一个是生下来身上没长毛而被同伴嘲笑的猴子，一个是不喜欢戴眼镜却不得不戴的小姑娘。这四个主人公在成长路上有着各自不同的经历和苦恼，但是他们最终都找到了自己独一无二的价值，获得了一种自我认同感。因为有一颗坚强勇敢的心，他们最终战胜了挫折和自卑。

在给孩子讲故事的时候，除了讲述故事内容之外，父母可以引导孩子思考，让他们看到故事背后所包含的一些面对挫折的态度和方法，提高孩子的逆商，培养孩子积极乐观的心态。当孩子在生活中受挫时，多用故事里的主人公去给孩子加油鼓劲。这样培养出来的孩子将来遇到多大的困难都不会畏惧，而且有着极强的自信心和自我认同感。

但愿这套书能成为您的，也是您的孩子的好朋友。

露娜觉得她的名字像一条鱼，因为这总让她想起"吞拿鱼露娜"。

为什么我的名字不叫亚历克斯、雷切尔或者莎伦呢？

露娜喜欢她的虎皮猫柏拉图，喜欢她那件带曲线和圆圈的黄色衬衫。她还喜欢卧室里拱形的窗户，透过它，露娜可以在睡觉时看到美丽的月亮。

但是，露娜不喜欢自己的名字。还有一样东西她也不喜欢，一样她不能忽略的东西：

她的眼镜。

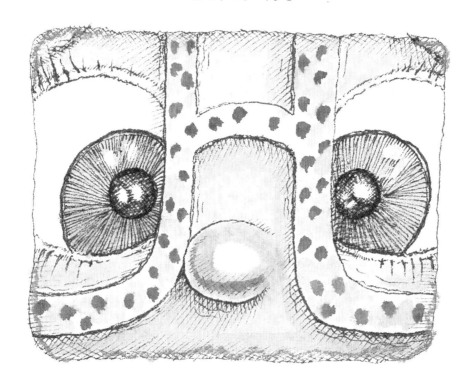

那副眼镜就架在她的鼻子上面，在她的脸上留下浅浅的凹（āo）痕。

露娜在眼镜店里选了一副黄色镜框，上面还带着红色的小圆点，和她最喜欢的衬衫正好相配。尽管如此，露娜还是不喜欢她的眼镜。因为照镜子时，眼镜几乎遮住了她的整个脸。

她用刘海盖住眼镜，好让它看起来不那么显眼。

她还竖起大衣领子，试图挡住眼镜。

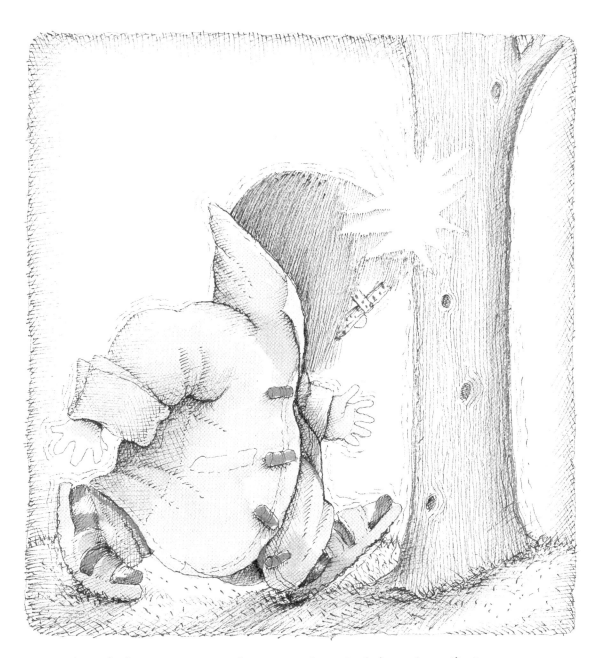

她甚至在走路的时候低着头。当然，这些都不怎么管用。

"哎哟！"

　　露娜的妈妈开了一家礼品店，店里有很多稀奇古怪的东西，有倒着走的时钟，还有一串看起来像奶油夹心饼干的灯。顾客们见了都会说，"简直太不可思议了！"

露娜的妈妈不用戴眼镜，
她的视力非常好。

　　露娜的爸爸是一名高中数学老师，他的视力也非常好，也不用戴眼镜。

就连露娜的妹妹克里斯汀也不戴眼镜。

"我讨厌戴眼镜，"露娜抱怨道，"就算和我最喜欢的衣服相配，我的眼镜也太显眼了。**这不公平！**"

　　一天晚上，露娜睡得很香，她梦见自己到了月亮上，四周是巨大的向日葵，身边的池塘里有很多小鱼在水里跳。当它们跳出水面时，露娜能清楚地看到每一条鱼。

在梦里，露娜没有戴眼镜，这让她特别高兴。

"我能看见了！我不用戴眼镜了！"

　　当露娜醒来时，她没有去找她的眼镜，而是走出房间，高兴地大喊道，"我能看见了！我不用戴眼镜了！"

　　"你看，柏拉图，我不用戴眼镜了！"她弯下腰，一边抚摸着妈妈的毛绒拖鞋一边说道。"哎呀！"

露娜来到了厨房，她闻到了很香的味道。她拿起一个勺子放在了"一碗汤"里。

"**露娜，你把勺子放在鱼缸里了！**" 妈妈说道。

露娜从冰箱里拿出冰激凌，并往碗里舀了一些花生酱。然后，她还想在上面加一些福吉酱。于是，她拿出一瓶酱开始挤，可是挤出的却是厚厚的一层番茄酱。

"真恶心！"她叫道。

露娜还是想吃些点心。"哦，饼干！"她边说边拿起桌上一个打开的袋子。

正当她快要把猫食放进嘴里时，柏拉图把鼻子贴到了露娜的鼻子上，喵喵地叫了起来。"哎呀！太恶心了！"露娜又叫了起来。

　　一整天，露娜都在努力看清东西。不管她是眯着眼睛看，还是瞪大了眼睛看，她眼里看到的都是一片**模糊**。当她被绊倒后，才看到人行道上那团模糊的东西是一双旱冰鞋。当她撞了上去，才发现卧室里那团模糊的东西原来是家具。最糟糕的是，她越想看清楚，她的头就越疼。最后她终于明白了，她的美梦并不是真的，她不戴眼镜还是看不清任何东西。

露娜准备回房间睡觉，她嘲笑起自己来，于是唱道，

"吞拿鱼露娜戴眼镜，戴着它们到处走。"

回到房间就戴上了她的眼镜。

"哟，我又能看见了。"她叹了口气。

她向四周看了看，是的，她又能看清了。但是，她
并不那么高兴。

露娜的爸爸听到她上楼，便上来和她道晚安。"露娜，你没事吧？"他问道。

"我不知道，爸爸，我做了一个梦。"露娜说道，"我梦到了月亮，还有巨大的向日葵和小鱼。在梦里，我不用戴眼镜就能看清东西，我特别高兴，因为我看到的东西不再模糊。我知道我需要眼镜，可是，为什么家里只有我一个人需要戴眼镜呢？"

"哦，露娜，"爸爸说道，"你的眼睛跟我和妈妈还有克里斯汀的都不一样，你生下来眼睛就近视，你能看清近处的东西，但看不清远处的。眼镜上的镜片可以帮助你的眼睛聚焦。"

　　"除了戴眼镜，你身上还有很多与众不同的地方呢。"爸爸继续说道。

　　"什么与众不同的地方？"露娜吸了一下鼻子问道。

　　"嗯，比如你的个人魅力。"

　　"哦，爸爸。"

　　"还有你的智慧。你非常聪明，而且对什么都好奇。有时候，我真不知道如何回答你的问题！"

　　"还有，"爸爸继续说道，"我们家里只有你的名字是根据天上的一样东西取的，一样非常神奇的东西。"

　　"真的吗？"露娜不解地问道。

"当然了！露娜是月亮女神的名字。"

"我的名字是月亮？"露娜的脸上露出了喜悦。

"宝贝，信不信由你哟。"爸爸说道，"是这样的，在你出生前的一天，我和你妈妈在装饰你的房间，我们做完时已将近午夜。于是，我们坐下来休息。那时，一轮满月挂在夜空，美丽的月光透过窗户撒满房间。我们当时就决定你的名字就叫露娜。"

露娜听了兴奋不已，"你是说我的名字不是一条鱼？"

"当然不是了。"爸爸说道，"那么，我们再来谈谈你的眼镜……"

"没关系，爸爸，我不再介意戴着眼镜了。"

露娜拥抱了爸爸，然后钻进了被子。

"晚安，爸爸。"

"做个好梦，露娜。"

露娜摘掉了眼镜，用她法兰绒睡衣的袖子擦了擦镜片。

柏拉图跳上了床，蜷缩在她身边。

露娜躺在床上，望着窗外又大又圆的月亮，周围的星星闪闪发光。

不管戴不戴眼镜，
她的世界从未如此美丽！

写给父母的话

大卫·普洛斯基（David F. Plotsky） 医学博士

多年以前，当我上五年级的时候，我配了第一副眼镜。那时，可以选择的只有黑色镜框和上面是黑色、下面是透明塑料的镜框，那样的镜框根本就谈不上漂亮。如今，眼镜已经成为人们喜爱的时尚配饰，我们可以从成百上千个样式和颜色中选择。因此，孩子可能还会期盼着能够戴眼镜（讽刺的是，眼科医生发现他们不得不费尽口舌地向那些想戴眼镜但不需要戴眼镜的孩子们解释，他们的视力无需戴眼镜）。

尽管如此，当你第一次收到医生建议你的孩子配眼镜时，你还是会很担心。不过，千万不要丧失希望！在你的理解和耐心帮助下，孩子每天戴数个小时的眼镜就能取得理想的治疗效果：能够看清黑板，玩耍时更加安全，并更加清楚地看见周围的世界。

6个月大的孩子就可以配戴眼镜。但多数情况下，孩子到了5岁再根据需要配戴眼镜。而5到10岁的孩子会出于各种理由想要摘掉眼镜，比如他们不想看起来和同龄人不同。对你的孩子来说，戴上眼镜看清东西可能不比他们的外表或者融入群体更重要。你可以咨询孩子的眼科医生，问清孩子何时可以摘掉眼镜，这样有助于你和孩子好好谈论戴眼镜的问题。

孩子可能出现的具体眼科问题

本书中，露娜配戴的是近视镜。她和她的父母所面对是她这个年龄这种视力状况的孩子普遍遇到的问题。其他年龄段的孩子可能会出现其他需要配戴眼镜的眼部问题，包括：

- 远视
- 散光
- 弱视
- 屈光参差
- 斜视

近视

露娜因为近视配戴了眼镜，因此她的视觉清晰度得到了明显的改善。这是近视的典型特点。如果你的孩子也近视，配戴了眼镜也会让他看得更清晰。

远视和散光

高度远视或者散光的孩子在学校或儿科医

生的视力筛查中被查出问题后，他们通常会去看眼科医生。如果你的孩子患有远视或者散光，那么当他初次配戴眼镜后，他逐渐下降的视力可能不会很快得到改善。你应该告诉你的孩子，如果他坚持配戴眼镜，他的视力将会随着时间逐渐改善。你甚至可以采取折中的办法，使他逐渐适应戴眼镜。比如，他在外面玩时不用戴，但在室内则需要戴眼镜。

弱视

弱视是导致儿童视力障碍的主要原因，这种症状通常在孩子的婴儿或幼儿时期就开始出现。如果你的孩子出现弱视，只要他戴上一段时间眼镜，情况就会好转。眼科医生还会通过其他治疗方式改善孩子的视力，比如滴眼药水和戴眼罩。

和很多孩子一样，你的孩子可能会拒绝戴眼罩。但是，眼罩的重要性却不容忽视。孩子可能会觉得戴眼罩使自己与其他孩子不同，而且可能会遭到同龄人的嘲笑。当孩子因为戴眼罩而感到受挫或不安时，家长应该同情他们的感受，并提醒他们戴眼罩只是暂时的，它能够帮助他们改善视力。

记住，虽然孩子的视力不会在短期内获得显著的提高，但是戴眼镜对于改善和纠正他们的视力仍然十分重要。此外，我们还需要记住，孩子到了八九岁时，他们的视力就会发育完善，弱视就不再让人如此担心了。一旦孩子戴上眼镜达到最佳视力，那么他纠正后的视力就会保持稳定，视敏度降低的风险也会非常低。

屈光参差

在这种情况下，孩子两只眼睛的视力会出现很大的差异，其中一只眼睛的发育远远落后于另一只。例如，如果孩子一只眼睛近视，而另一只眼睛远视，那么其中一只眼睛的视力就会很差。在这种情况下，一开始就戴眼镜是最好的办法。全天配戴眼镜（通常加上眼罩辅助治疗）有助于改善"较差"眼睛的视力。从孩子的角度来看，如果他们戴眼镜后没有获得明显的改善，他们会想，"戴了眼镜也看不清，为什么还要戴呢？"这时，家长应该温和地告诉他们，长期来看眼镜和眼罩会帮助改善他们的视力。

斜视

患有斜视或聚焦不准的孩子会感到眼部不适、头疼、视力模糊，甚至还会出现重影的现象。通过眼镜改变聚焦反应可以影响孩子眼睛的位置。由于斜视会造成孩子不适的反应，因此除了戴眼镜，还需要使用眼药水或眼药膏。一般情况下，孩子戴上眼镜后，眼睛的角度就会得以纠正。但是，一旦摘掉眼镜，聚焦不准的情况仍然存在。

然而，孩子不戴眼镜视力仍然良好的情况也是完全可能的，因此家长需要做好准备以面对要求孩子戴眼镜时出现的困难。不过，等到眼镜能够有效地纠正孩子的斜视的时候，孩子通常也已经很好地接受眼镜了。

坚持与折中

孩子戴眼镜的时间根据他们的年龄和性格而定。对于一个六七岁的孩子来说，跟他解释改善视力的必要性相对容易，但是对于一个2岁的孩子来说却不管用。坚持是最重要的。当你重新帮孩子戴上眼镜时，你需要向他们强调戴眼镜的必要性，这最终会使他们的视力恢复到期望的水平。通常情况下，大部分的眼部问题都需要全天配戴眼镜。戴总比不戴要好，因此家长可以适当采取折中的策略。

虽然孩子到了9岁以后让他们戴眼镜会非常困难，但是由于眼镜配戴时间不足而造成长期视力问题的可能性很小。因此，怎样配戴眼镜可以根据不同的视力需求进行调整。为了确定孩子的具体需求，家长需要考虑如下问题：

- 他在学校表现好吗？
- 他能看清黑板吗？
- 他能看清书本吗？

- 他积极参加那些要求良好视力的运动项目吗？如垒球或网球。

如果孩子不戴眼镜就看不清，那么家长需要考虑给他们配戴运动型眼镜，这种眼镜对孩子参加大球项目（足球或篮球）或不需要球的项目（田径运动）时会非常有帮助。随着孩子长大，他们的动作更快，运动中的碰撞可能会使日常配戴的眼镜破碎，从而增加脸部或眼部伤害的风险。因此，孩子到了6岁以后，运动型眼镜对于改善视力和保护眼睛方面越来越重要。

如果孩子游泳，可以配戴处方泳镜。这对

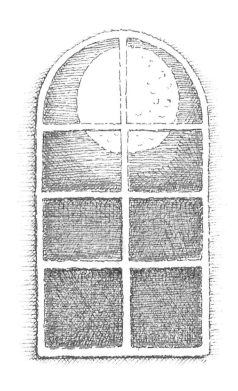

于那些离开眼镜就看不清却每天要在泳池里待上好几个小时的孩子来说十分有用。

孩子的参与

购买眼镜对于孩子来说是一件非常积极的事情，孩子更愿意配戴他们亲自挑选的眼镜。你应该首先了解孩子喜欢的眼镜款式，然后和他一起挑选镜框，不要挑选那些过于纤细或过分夸张的镜框。如果你的孩子平时比较好动，可以考虑选择弯曲式镜腿（镜腿呈半圆形，可圈住耳朵）。这样的镜框即使孩子倒立也不会掉下来，那些喜欢玩攀登架的孩子会很乐意配戴这样的眼镜。

如何面对同龄人

眼镜会让孩子看起来与他的同学不同，家长可能很想和孩子谈谈这个问题。对于任何年龄的孩子来说，了解到戴眼镜会使他们与众不同是很有必要的。尽管这种不同并非否定含义，但是有些孩子并不这样认为。

针对大多数孩子，"观望"可能是最好的策略。如果你发现戴眼镜已经影响了孩子的自尊，那么你就应该和孩子讨论这个问题。相反，如果孩子对戴眼镜持乐观或无所谓的态度，那么家长就无需和孩子谈论这个话题。令人意想不到的是，最近我们发现，在小学里，如果某个孩子配戴了新眼镜，那么其他孩子就会抱怨他们的视力变差并要求自己也要配戴眼镜。

大卫·普洛斯基（David F. Plotsky），医学博士，专治儿童眼科疾病和成人斜视的眼科医生，他住在美国马里兰州贝塞斯达。除了门诊外，他的大部分时间都用于教育和培训未来的眼科医生。目前，他在华盛顿医疗中心从事教学工作，他曾是这家医院儿童眼科的主任。同时，他还在华盛顿区的儿童医院以及乔治城大学从事教学工作。

关于作者

雪莉·戴（Shirley Day）住在美国加利福尼亚州圣地亚哥，目前从事多本儿童书籍的创作。

关于绘图作者

唐·莫里斯（Don Morris）是一名插图画家，他目前为《圣彼得堡时报》（美国佛罗里达州）工作。他曾为多本儿童书籍绘制插图。

关于译者

赵丹，英语语言与文学专业毕业，做过政府职员、英语教师，最终选择她热爱的翻译工作。做母亲使她重新认识了自己，她与6岁的女儿共同成长。能够为孩子们带来快乐，是她最快乐的事。

儿童情绪管理与性格培养绘本

丛书特色

1. 专业性——美国心理学会资深儿童心理学家撰写，专业插画家绘图，心理学背景和翻译水平兼备的妈妈们担任翻译。书后附有"写给父母的话"，从儿童发展心理学的角度剖析孩子的种种表现，帮助家长理解孩子，指导孩子克服种种情绪障碍，陪伴孩子健康快乐成长。

2. 实用性——给父母们补充相关儿童心理学知识，帮助他们更好地与孩子相处，解决育儿过程中的种种困惑。

3. 趣味性——绘本故事的表现形式容易被孩子接受，生动、有趣的故事场景将成长的道理蕴涵其中。亲子共读的形式让家长和孩子一起快乐阅读。

4. 安全环保——采用FSC森林认证环保纸，大豆油墨环保印刷，亚光铜保护孩子视力，圆角设计翻页不伤手。入选北京市绿色印刷工程——优秀少儿读物绿色印刷示范项目。

丛书介绍

第八辑：逆商培养

《小树》

面对挫折和伤痛
培养坚强勇敢的品质

　　小树在一场风暴中失去了自己的树枝和树叶，她表现出害怕、自责和担心等情绪，但她最终明白了，自己虽然失去了很多枝叶，但她还有深深扎根于土地的根、强健的树干和美丽的心，还能开花结果。

　　这个故事还教会了孩子们一种"神奇快乐呼吸法"，这种简单易学的放松技巧，能让孩子觉得舒适，减轻压力和痛楚，点燃他们内心的力量。

《蒂比试一试》

**勇于尝试
才是最重要的**

蒂比是一只永远也不能飞翔的小鸟，因为他有一只残疾的翅膀。虽然被其他的鸟儿嘲笑，但是勇敢的蒂比却仍然愉快地穿梭于丛林之中，并且认识了好几位新朋友：兔子兔伯特、松鼠萨拉……朋友们教会蒂比爬树、滑行、跳跃、隐藏——蒂比每样都尝试过，也都做到了！最后，蒂比用他学到的新本领挺身而出营救他人，成为了一个英雄。

这个励志故事告诉孩子们一个道理：生理上的缺陷并不一定会让你比别人差，勇于尝试才是最重要的。对于身体健康的孩子来说，这个故事更能鼓舞他们面对任何挫折都要勇于尝试。

《不怕被嘲笑》

**教孩子走出被嘲笑
的阴影，建立自信**

从前，在一片遥远的热带丛林里，一只名叫穆奇的小猴子，他全身上下没有一根毛，穆奇的家人都觉得他可爱极了，他也很喜欢自己光滑的皮肤。不过，上学第一天穆奇就遭到了嘲笑。同学们从来没有见过不长毛的猴子。他们有的盯着他看，有的指着他"咯咯"直笑，还有的叫他"小秃子"。穆奇该怎么办呢？

这个故事不仅为孩子提出了切实有效的建议，而且为家长和老师怎样处理孩子被嘲笑和欺负的问题提供了有益的指导。

《戴眼镜的露娜》

**戴眼镜不可怕，
教孩子发现自我价值**

有一个奇怪的名字已经让露娜够烦的了，更糟糕的是，她还要戴眼镜。如果她不戴眼镜会怎么样呢？看看露娜在经历了糟糕的一天后是如何发现自我价值以及眼镜对于她的意义的。孩子不喜欢戴眼镜一般是由于感觉自己与他人不一样而带来的焦虑感和自卑心理，露娜最后发现她在乎的其实并不是戴眼镜的事，而是父母是不是爱自己，自己是不是独一无二的。

这本书将教会父母如何引导孩子发现自我价值，从而产生满足感。